Fferm ar Ras

Rod Campbell

DREF WEN

Dyma'r tarw dig

a redodd ar ôl y …

fuwch, a redodd ar ôl y ...

ddafad,
a redodd ar ôl y ...

mochyn,
a redodd ar ôl y ...

ci, a redodd ar ôl yr ...

hwyaden,
a redodd ar ôl y ...

gath,
a redodd ar ôl y ...

llygoden ...
Ond wnaeth y llygoden ddim rhedeg ar ôl neb ...

dim ond gorwedd mewn
cornel fach glyd ...

Clwc!
Clwc!

Llyfr dwyieithog arall gan Rod Campbell
Available in Welsh/English dual-language:
Annwyl Sw/Dear Zoo

DREF WEN

Cyhoeddiad Saesneg gwreiddiol 2004 gan Puffin Books
dan y teitl *Farm Chase*
Cyhoeddwyd yn Gymraeg 2004 gan Wasg y Dref Wen,
28 Ffordd yr Eglwys,
Yr Eglwys Newydd, Caerdydd CF14 2EA
Ffôn 029 20617860.
Trosiad gan Roger Boore.
Cyhoeddwyfd y fersiwn yma 2010.

Gwnaethpwyd ac argraffwyd ym Malaysia.